Dimitri Kabalevsky

Œuvres posthumes pour piano
Posthumous works for piano

Réf. PO5090

© 2018 by Editions Le Chant du Monde, Paris

LE CHANT DU MONDE
EDITIONS MUSICALES
part of The Music Sales Group
10, rue de la Grange Batelière – 75009 Paris

Préface

L'œuvre de Dimitri Kabalevsky connaît un net regain d'intérêt, ce dont on ne peut que se réjouir. Pour accompagner cette redécouverte de celui qui fut l'un des grands compositeurs du XX° siècle russe, les Editions Le Chant du Monde publient dans cet album des œuvres jusqu'à présent inédites, redécouvertes par sa fille Maria Kabalevskaïa dans les archives familiales.

Des œuvres de jeunesse, où l'on peut percevoir des influences, certes, en même temps qu'une parfaite maîtrise de l'instrument, auquel il confiera plus tard des pages qui sont aujourd'hui la référence de la pédagogie pour piano.

Cet album montre, pour certains opus, un langage personnel en devenir, en même temps qu'il révèle un compositeur à la personnalité bien campée. Toutes ces pages ont leur place aussi bien au concert que dans un conservatoire, ou dans un salon privé.

Preface

The notable revival of interest in the works of Dmitri Kabalevsky is a cause for celebration, and to mark this, Editions Le Chant du Monde presents a collection of previously unpublished works from one of the great Russian composers of the twentieth century, restored from the family archives by the composer's daughter, Maria Kabalevskaya,

Notwithstanding the discernible influences, these youthful works demonstrate a perfect mastery of the piano, an accomplishment Kabalevsky developed further still in his later, enduring pedagogical works. Several works in this collection display a growing, individual voice while also revealing a composer with personality. All these works would be equally at home in the concert hall or conservatoire as they are for private study.

Valse

Dimitri Kabalevsky

Tempo di Valse moderato

3 Préludes

N°1

Dimitri Kabalevsky

N°2

N°3

3 Preludes op.1

Dimitri Kabalevsky

N°1

22.X.1925
Moscou

Andante

19.XII.1925
Moscou

Presto tenebroso

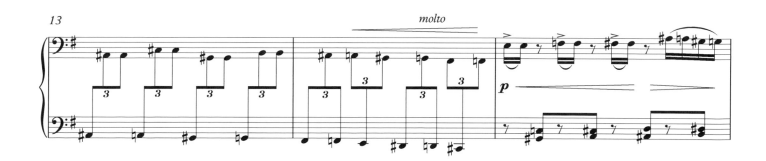

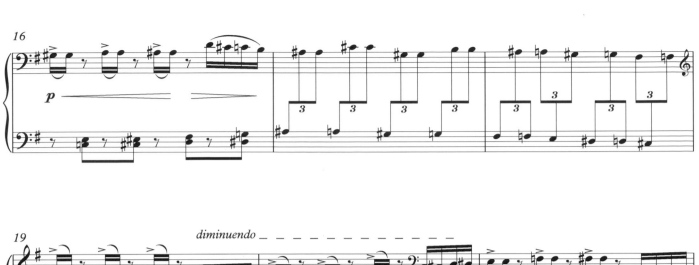

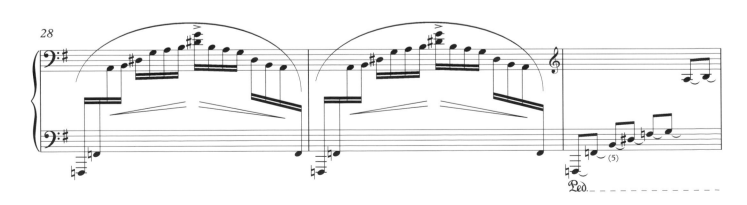

61

64

67

70

18.XII.1925
Moscou